目录

读者问卷

为向"墨点"的读者们提供优质图书，让大家在较短的时间内练出更好的字，达到事半功倍的效果，我们精心设计了这份问卷调查表，希望您积极参与，一旦您的意见被采纳，将会得到"墨点字帖"赠送的温馨礼物一份哦！

姓 名		性 别	
年龄(或年级)		职 业	
QQ		电 话	
地 址		邮 编	

1.您购买此书的原因？（可多选）

□封面美观 □内容实用 □字体漂亮 □价格实惠 □老师推荐 □其他____

2.您对哪种字体比较感兴趣？（可多选）

□楷书 □行楷 □行书 □草书 □隶书 □篆书 □仿宋 □其他____

3.您希望购买包含哪些内容的字帖？（可多选）

□有技法讲解 □与语文教材同步 □与考试相关 □速成教程类 □常用字

□国学经典 □名言警句 □诗词歌赋 □经典美文 □人生哲学

□心灵小语 □禅语智慧 □作品创作 □原碑类硬笔字帖 □其他____

4.您喜欢哪种类型的字帖？（可多选）

纸张设置：□带薄纸，以描摹练习为主 □不带薄纸，以描临练习为主

□摹、描、临的比例为________

装帧风格：□古典 □活泼 □现代 □素雅 □其他____

内芯颜色：□红格线、黑字 □灰格线、红字 □蓝格线、黑字 □其他____

练习量：□每天____面

5.您购买字帖考虑的首要因素是什么？是否考虑名家？喜欢哪种风格的字体？

6.请评价一下此书的优缺点。您对字帖有什么好的建议？

7.您在练字过程中经常遇到哪些困难？需要何种帮助？

地址：武汉市洪山区雄楚大街268号出版文化城C座603室 邮编：430070
收信人："墨点字帖"编辑部 电话：027-87391503 QQ：3266498367
E-mail：3266498367@qq.com 天猫网址：http://whxxts.tmall.com

目录

璇玑悬斡，晦魄环照。
指薪修祜，永绥吉劭。
矩步引领，俯仰廊庙。
束带矜庄，徘徊瞻眺。
孤陋寡闻，愚蒙等诮。
谓语助者，焉哉乎也。

书法课堂

提手旁

提笔左探
右部出头勿长

扌 扌 扌
打 打 打
技 技 技

自由书写

小故事

周兴嗣编撰《千字文》

周兴嗣是南北朝时人，据说当年梁武帝令殷铁石在王羲之书写的碑文中拓下一千个不重复的字，供皇子们学习用。但由于字字孤立，互不相连，于是命周兴嗣编撰成四言韵文，还要求包含文理。周兴嗣果然不负众望，只用了一夜工夫就编撰成书，这便是流传至今的《千字文》。

tiān dì xuán huáng yǔ zhòu hóng huāng rì yuè yíng zè chén xiù liè zhāng hán lái shǔ wǎng
天地玄黄，宇宙洪荒。日月盈昃，辰宿列张。寒来暑往，
qiū shōu dōng cáng rùn yú chéng suì lǜ lǚ tiáo yáng yún téng zhì yǔ lù jié wéi shuāng
秋收冬藏。闰余成岁，律吕调阳。云腾致雨，露结为霜。

天地玄黄，宇宙洪荒。
日月盈昃，辰宿列张。
寒来暑往，秋收冬藏。
闰余成岁，律吕调阳。
云腾致雨，露结为霜。
天地玄黄，宇宙洪荒。
日月盈昃，辰宿列张。
寒来暑往，秋收冬藏。
闰余成岁，律吕调阳。
云腾致雨，露结为霜。

译文

苍蓝的上天，灰黄的大地，无边无际的宇宙处于混沌之中。日出日落，月圆月缺，满天的星辰有序散布于天空。一年四季寒来暑往，秋天收获，冬天储粮。历法纪年，用闰日闰月来调整，一年十二月，用六律六吕来调节阴阳，从而时序不乱。云气上升，到了高空遇冷就凝结成了雨。夜露凝聚，天寒就结成了地上的霜。

难字练习

昃 昃

藏 藏

矫手顿足，悦豫且康。
嫡后嗣续，祭祀烝尝。
稽颡再拜，悚惧恐惶。
笺牒简要，顾答审详。
骸垢想浴，执热愿凉。
驴骡犊特，骇跃超骧。
诛斩贼盗，捕获叛亡。
布射僚丸，嵇琴阮啸。
恬笔伦纸，钧巧任钓。
释纷利俗，并皆佳妙。
毛施淑姿，工颦妍笑。
年矢每催，曦晖朗曜。

书法课堂

立刀旁

竖挺有力
钩勿大

刂 刂 刂
利 利 利
列 列 列

木字旁

竖上下比例1∶2
右部齐平

木 木 木
村 村 村
栋 栋 栋

示字旁

首点宜高
横抗肩
竖用垂露

礻 礻 礻
礼 礼 礼
福 福 福

小知识

中国古代的四大发明

造纸术、印刷术、火药、指南针是中国古代的四大发明。四大发明是中华民族对世界文明的伟大贡献，深刻影响了世界文明的进程。这些发明改变了世界的面貌，其影响的范围不限于某一个局部的地区，而是整个世界；其影响所及也不是一时一世，而是持续了千百年之久。

jīn shēng lì shuǐ yù chū kūn gāng jiàn hào jù què zhū chēng yè guāng
金生丽水，玉出昆冈。剑号巨阙，珠称夜光。
guǒ zhēn lǐ nài cài zhòng jiè jiāng hǎi xián hé dàn lín qián yǔ xiáng
果珍李柰，菜重芥姜。海咸河淡，鳞潜羽翔。

金生丽水，玉出昆冈。
剑号巨阙，珠称夜光。
果珍李柰，菜重芥姜。
海咸河淡，鳞潜羽翔。

金生丽水，玉出昆冈。
剑号巨阙，珠称夜光。
果珍李柰，菜重芥姜。
海咸河淡，鳞潜羽翔。

译文

黄金出产于金沙江畔，美玉生成于昆仑山上。最锋利的宝剑叫“巨阙”，最珍贵的明珠叫“夜光”。李子和沙果是水果中的珍品，日常的蔬菜离不开芥菜和生姜。海水咸，河水淡，鱼儿潜游于水中，鸟儿飞翔于高空。

难字练习

阙 阙　柰 柰
芥 芥　鳞 鳞

自由书写

枇杷晚翠，梧桐蚤凋。
陈根委翳，落叶飘摇。
游鹍独运，凌摩绛霄。
耽读玩市，寓目囊箱。
易輶攸畏，属耳垣墙。
具膳餐饭，适口充肠。
饱饫烹宰，饥厌糟糠。
亲戚故旧，老少异粮。
妾御绩纺，侍巾帷房。
纨扇圆洁，银烛炜煌。
昼眠夕寐，蓝笋象床。
弦歌酒宴，接杯举觞。

书法课堂

单人旁 亻 注意起笔位置
亻 亻 亻
他 他 他
伍 伍 伍

双人旁 彳 长短不同 指向相同 竖末垂露
彳 彳 彳
往 往 往
律 律 律

竖心旁 忄 右点小、平、高 左点大、直、低
忄 忄 忄
忙 忙 忙
情 情 情

小故事

王充读书

东汉时期有一位杰出的哲学家叫王充，他小时候读书非常用功。二十岁那年，王充到洛阳的太学求学。他利用课余时间把太学里的书都读遍了，于是又到洛阳街上的书铺找新书看。由于他很穷，没钱买书，只好站在书铺里阅读，就这样，他看了很多书，为日后著书立说打下了坚实的基础。

lóng shī huǒ dì niǎo guān rén huáng shǐ zhì wén zì nǎi fú yī cháng
龙师火帝，鸟官人皇。始制文字，乃服衣裳。
tuī wèi ràng guó yǒu yú táo táng diào mín fá zuì zhōu fā yīn tāng
推位让国，有虞陶唐。吊民伐罪，周发殷汤。

龙	师	火	帝，	鸟	官	人	皇。
始	制	文	字，	乃	服	衣	裳。
推	位	让	国，	有	虞	陶	唐。
吊	民	伐	罪，	周	发	殷	汤。
龙	师	火	帝，	鸟	官	人	皇。
始	制	文	字，	乃	服	衣	裳。
推	位	让	国，	有	虞	陶	唐。
吊	民	伐	罪，	周	发	殷	汤。

译文

龙师、火帝、鸟官、人皇，他们都是上古传说中的重要人物。传说黄帝的史官仓颉发明了文字，黄帝的妻子嫘祖教百姓养蚕织布，才使人类穿上了衣服。唐尧、虞舜主动把国君之位传给贤良有德的人，这就是禅让。殷商国王成汤、周武王姬发安抚百姓，讨伐暴君。

难字练习

虞	虞				陶	陶			
罪	罪				殷	殷			

自由书写

税熟贡新，劝赏黜陟。

孟轲敦素，史鱼秉直。

庶几中庸，劳谦谨敕。

聆音察理，鉴貌辨色。

贻厥嘉猷，勉其祗植。

省躬讥诫，宠增抗极。

殆辱近耻，林皋幸即。

两疏见机，解组谁逼。

索居闲处，沉默寂寥。

求古寻论，散虑逍遥。

欣奏累遣，戚谢欢招。

渠荷的历，园莽抽条。

双耳旁（在右）

阝 下廓稍大 一般悬针

阝	阝	阝
那	那	那
部	部	部

宝盖头

宀 首点居正 左点直立 似鸟视胸

宀	宀	宀
守	守	守
完	完	完

草字头

艹 略呈羊角状 撇笔起笔略高

艹	艹	艹
芽	芽	芽
苏	苏	苏

小知识

二疏城

疏广，字仲翁。博通经史，汉宣帝时被选为太子太傅。疏广的侄子疏受，当时亦以贤明被选为太子家令，后升为太子少傅。二人并称为“二疏”。二疏去世之后，乡人感其散金之惠，在二疏宅旧址筑一座方圆三里的土城，取名为“二疏城”；在其散金处立一碑，取名为“散金台”。

zuò cháo wèn dào chuí gǒng píng zhāng ài yù lí shǒu
坐朝问道，垂拱平章。爱育黎首，
chén fú róng qiāng xiá ěr yì tǐ shuài bīn guī wáng
臣伏戎羌。遐迩一体，率宾归王。

坐朝问道，垂拱平章。
爱育黎首，臣伏戎羌。
遐迩一体，率宾归王。
坐朝问道，垂拱平章。
爱育黎首，臣伏戎羌。
遐迩一体，率宾归王。

《译文》

贤明的国君正襟危坐，与大臣们商讨治国之道，垂衣拱手，无为而治，考核百官，论功行赏。关爱、抚育百姓，各族人民都称臣归附。四域八方，无论远近，江山一统，各方诸侯都前来归顺。

《难字练习》

垂垂 拱拱
黎黎 戎戎
羌羌 遐遐
迩迩 率率

《自由书写》

晋楚更霸，赵魏困横。
假途灭虢，践土会盟。
何遵约法，韩弊烦刑。
起翦颇牧，用军最精。
宣威沙漠，驰誉丹青。
九州禹迹，百郡秦并。
岳宗泰岱，禅主云亭。
雁门紫塞，鸡田赤城。
昆池碣石，巨野洞庭。
旷远绵邈，岩岫杳冥。
治本于农，务兹稼穑。
俶载南亩，我艺黍稷。

书法课堂

三点水
距离不同
注意指向
氵 氵 氵
江 江 江
深 深 深

言字旁
点稍靠右
竖稍倾斜
讠 讠 讠
认 认 认
语 语 语

双耳旁（在左）
右部对齐
不可悬针
阝 阝 阝
阴 阴 阴
阵 阵 阵

小故事

假途灭虢

春秋初期，晋献公决定南下攻虢，但虞国邻近虢国，为晋攻虢的必经之途。晋献公派荀息携带美女、骏马等贵重礼品献给虞公，请求借道攻虢。虞公贪利，遂不听大臣劝阻，不但应允借道，还自愿作攻虢先锋。晋国第二次借道虞国时灭掉了虢国，在班师的路上，趁虞国不备，顺便把虞国也消灭了。

míng fèng zài zhú　bái jū shí chǎng　huà bèi cǎo mù　lài jí wàn fāng
鸣凤在竹，白驹食场。化被草木，赖及万方。
gài cǐ shēn fà　sì dà wǔ cháng　gōng wéi jū yǎng　qǐ gǎn huǐ shāng
盖此身发，四大五常。恭惟鞠养，岂敢毁伤。

鸣	凤	在	竹，	白	驹	食	场。
化	被	草	木，	赖	及	万	方。
盖	此	身	发，	四	大	五	常。
恭	惟	鞠	养，	岂	敢	毁	伤。
鸣	凤	在	竹，	白	驹	食	场。
化	被	草	木，	赖	及	万	方。
盖	此	身	发，	四	大	五	常。
恭	惟	鞠	养，	岂	敢	毁	伤。

译文

凤凰在竹林间欢快地歌唱，白驹在草场上悠闲地吃草。君王的仁德教化让大自然的花草树木都蒙受了恩惠，遍及到天下万方。人的身体发肤，源自地、水、火、风四种物质，人的言行举止，要以仁、义、礼、智、信五项伦常为准则。虔敬地想着父母的抚养，不可随便毁伤自己的身体。

难字练习

驹	驹			
惟	惟			

赖	赖			
鞠	鞠			

自由书写

既集坟典，亦聚群英。
杜稿钟隶，漆书壁经。
府罗将相，路侠槐卿。
户封八县，家给千兵。
高冠陪辇，驱毂振缨。
世禄侈富，车驾肥轻。
策功茂实，勒碑刻铭。
磻溪伊尹，佐时阿衡。
奄宅曲阜，微旦孰营？
桓公匡合，济弱扶倾。
绮回汉惠，说感武丁。
俊乂密勿，多士寔宁。

书法课堂

弯钩
露锋入笔
钩要迅速
孕 孕 孕
学 学 学

斜钩
不宜过弯
钩部向上
或 或 或
哉 哉 哉

两点水
注意指向
提笔勿平
冰 冰 冰
净 净 净

小故事

燕然勒铭

汉代的燕然山，即今蒙古国境内的杭爱山脉。公元89年，东汉车骑将军窦宪率领大军，大败匈奴北单于，深入匈奴腹地三千多里，彻底解除了匈奴对东汉边境的威胁。这一年七月，窦宪率军登上燕然山，命中护军班固刻石记功。班固在《封燕然山铭》一文中记述了这次军事行动。

nǚ mù zhēn jié nán xiào cái liáng zhī guò bì gǎi dé néng mò wàng wǎng tán bǐ duǎn
女慕贞洁，男效才良。知过必改，得能莫忘。罔谈彼短，
mǐ shì jǐ cháng xìn shǐ kě fù qì yù nán liáng mò bēi sī rǎn shī zàn gāo yáng
靡恃己长。信使可覆，器欲难量。墨悲丝染，《诗》赞羔羊。

女	慕	贞	洁，	男	效	才	良。
知	过	必	改，	得	能	莫	忘。
罔	谈	彼	短，	靡	恃	己	长。
信	使	可	覆，	器	欲	难	量。
墨	悲	丝	染，	《诗》	赞	羔	羊。
女	慕	贞	洁，	男	效	才	良。
知	过	必	改，	得	能	莫	忘。
罔	谈	彼	短，	靡	恃	己	长。
信	使	可	覆，	器	欲	难	量。
墨	悲	丝	染，	《诗》	赞	羔	羊。

译文

女子应该仰慕坚持操守的贞洁妇女，男子要仿效德才兼备之人。知道了错误就一定要改正，学习到一种技能就不可荒废遗忘。不要随便议论别人的缺点或短处，也不要因为自己的长处而骄傲自满。诚信要经得起考验，器量要大到难以被度量。墨子感叹白丝的本质容易被色染，《诗经》赞美君子的品德洁白如羔羊。

难字练习

慕 慕

覆 覆

节义廉退，颠沛匪亏。
性静情逸，心动神疲。
守真志满，逐物意移。
坚持雅操，好爵自縻。
都邑华夏，东西二京。
背邙面洛，浮渭据泾。
宫殿盘郁，楼观飞惊。
图写禽兽，画彩仙灵。
丙舍傍启，甲帐对楹。
肆筵设席，鼓瑟吹笙。
升阶纳陛，弁转疑星。
右通广内，左达承明。

书法课堂

反捺 起笔轻灵 由轻到重

丶 丶 丶
不 不 不
退 退 退

横钩 注意斜度 似鸟视胸

乛 乛 乛
皮 皮 皮
宋 宋 宋

竖钩 顿笔后下行 中部宜细

亅 亅 亅
寸 寸 寸
寻 寻 寻

小知识

东都洛阳

洛阳是中国有名的历史文化名城，素有“九朝古都”的美名。位于河南西部、黄河中游，因地处洛河之北而得名。洛阳有着5000多年文明史、4000年的建城史和1500多年的建都史，先后有105位帝王在此定鼎九州。洛阳是华夏文明的发源地之一、中华民族的发祥地之一。

jǐng xíng wéi xián　kè niàn zuò shèng　dé jiàn míng lì
景行维贤，克念作圣。德建名立，
xíng duān biǎo zhèng　kōng gǔ chuán shēng　xū táng xí tīng
形端表正。空谷传声，虚堂习听。

景行维贤，克念作圣。
德建名立，形端表正。
空谷传声，虚堂习听。
景行维贤，克念作圣。
德建名立，形端表正。
空谷传声，虚堂习听。

译文

仰慕圣贤的高尚德行，见贤思齐，克制私念，就能和圣人站在一列。只有树立高尚的品德，好的名声才会传播开来，形体端直，堂堂正正，外表自具威仪。在空旷的山谷中呼喊，声音会传得很远且产生回音，在空荡宽敞的厅堂里说话，就会产生共鸣。

难字练习

维 维　贤 贤
德 德　建 建
端 端　表 表
虚 虚　堂 堂

自由书写

容止若思，言辞安定。

笃初诚美，慎终宜令。

荣业所基，籍甚无竟。

学优登仕，摄职从政。

存以甘棠，去而益咏。

乐殊贵贱，礼别尊卑。

上和下睦，夫唱妇随。

外受傅训，入奉母仪。

诸姑伯叔，犹子比儿。

孔怀兄弟，同气连枝。

交友投分，切磨箴规。

仁慈隐恻，造次弗离。

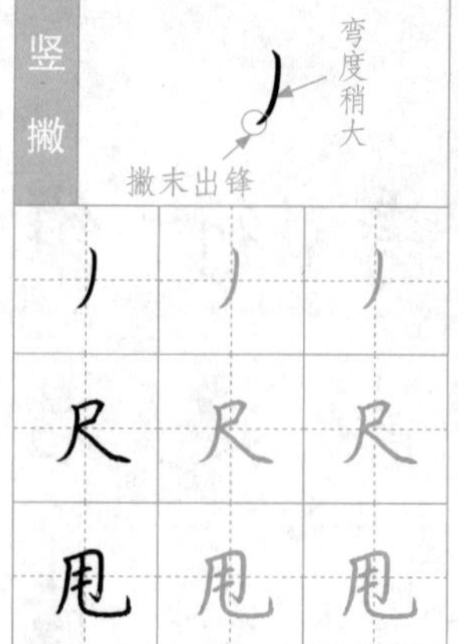

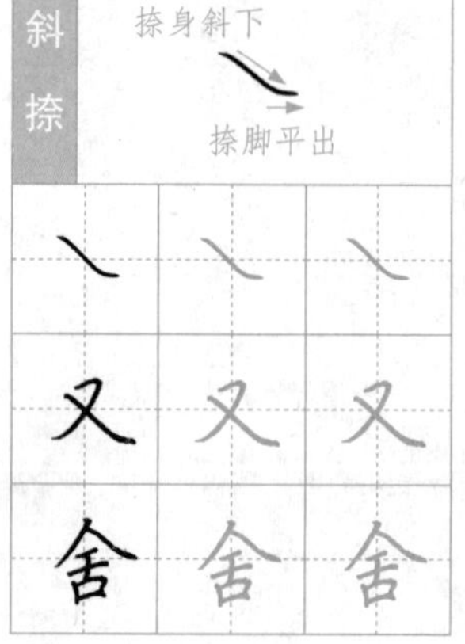

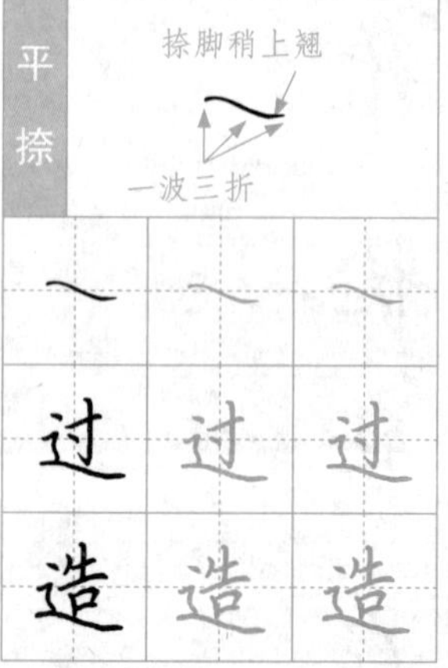

小故事

尹公之他

郑国将军子濯孺子和卫国将军庚公之斯打仗。子濯孺子恰巧犯病，没有力气，拉不开弓。庚公之斯问明原因之后，对子濯孺子说："我的射箭本领是尹公之他教的，尹公之他射箭的本领是您教的。我不能拿您教的本领来害您。"于是庚公之斯拔掉箭头，向子濯孺子连射四箭就走了。

huò yīn è jī　fú yuán shàn qìng　chǐ bì fēi bǎo　cùn yīn shì jìng
祸因恶积，福缘善庆。尺璧非宝，寸阴是竞。
zī fù shì jūn　yuē yán yǔ jìng　xiào dāng jié lì　zhōng zé jìn mìng
资父事君，曰严与敬。孝当竭力，忠则尽命。

祸因恶积，福缘善庆。
尺璧非宝，寸阴是竞。
资父事君，曰严与敬。
孝当竭力，忠则尽命。
祸因恶积，福缘善庆。
尺璧非宝，寸阴是竞。
资父事君，曰严与敬。
孝当竭力，忠则尽命。

译文

祸患都因作恶多端而引起，只有乐善好施才能得到幸福的回报。一尺长的璧玉算不上真正的珍宝，而即使是一寸短的光阴也值得珍惜。供养父母，侍奉君主，要怀着严肃和恭敬的心情。对父母尽孝应当尽心尽力，对君主尽忠，要不惜牺牲生命。

难字练习

缘 缘　壁 壁
敬 敬　竭 竭

自由书写

小知识

人物龙凤帛画

1949 年 2 月，湖南省长沙市陈家山的战国楚墓里出土了两幅帛画，其中一幅叫《人物龙凤帛画》，大约高 28 厘米，宽 20 厘米。画上有一位雍容华贵的妇人，侧身向左双手合十而立，身着拖地的绣花长袍。画面上方绘一龙一凤，左侧为竖垂的龙，似腾空而起，右侧为一凤鸟，欲展翅飞翔。

lín shēn lǚ bó　sù xīng wēn qìng　sì lán sī xīn　rú sōng zhī shèng
临深履薄，夙兴温清。似兰斯馨，如松之盛。
chuān liú bù xī　yuān chéng qǔ yìng　róng zhǐ ruò sī　yán cí ān dìng
川流不息，渊澄取映。容止若思，言辞安定。

临深履薄，夙兴温清。
似兰斯馨，如松之盛。
川流不息，渊澄取映。
容止若思，言辞安定。
临深履薄，夙兴温清。
似兰斯馨，如松之盛。
川流不息，渊澄取映。
容止若思，言辞安定。

译文

如临深渊，如履薄冰。侍奉父母要早起晚睡，让他们冬天温暖，夏天凉爽。只有做到了这些，才能使自己的品行如兰草一样芬芳，像松柏那样茂盛。美德延及子孙，像河水日日夜夜奔流不息，影响到世人，像潭水一样宛若明镜，清澈照人。仪容举止要安详沉静，言语要从容恰当而又稳重。

难字练习

履 履
薄 薄
馨 馨
澄 澄

自由书写

推位让国，有虞陶唐。
吊民伐罪，周发殷汤。
坐朝问道，垂拱平章。
爱育黎首，臣伏戎羌。
遐迩一体，率宾归王。
鸣凤在竹，白驹食场。
化被草木，赖及万方。
盖此身发，四大五常。
恭惟鞠养，岂敢毁伤。
女慕贞洁，男效才良。
知过必改，得能莫忘。
罔谈彼短，靡恃己长。

书法课堂

长横：中部稍细；书写节奏“慢—快—慢”
一 一 一
上 上 上
平 平 平

短竖：顿笔下行；书写速度不宜快
丨 丨 丨
口 口 口
尘 尘 尘

垂露竖：顿笔不可过大；顿笔后缓慢提起
丨 丨 丨
木 木 木
杠 杠 杠

小故事

孔子论孝道

孟懿子问什么是孝，孔子说：“不要违背礼节。”樊迟替孔子赶车，孔子说：“孟孙氏问我怎样做是孝，我说：‘不要违背礼节。’”樊迟问：“这是什么意思呢？”孔子说：“父母在世时，要依礼侍奉他们，父母去世后，要依礼安葬和祭祀他们。”

dǔ chū chéng měi shèn zhōng yí lìng róng yè suǒ jī jí shèn wú jìng
笃初诚美，慎终宜令。荣业所基，籍甚无竟。
xué yōu dēng shì shè zhí cóng zhèng cún yǐ gān táng qù ér yì yǒng
学优登仕，摄职从政。存以甘棠，去而益咏。

笃初诚美，慎终宜令。
荣业所基，籍甚无竟。
学优登仕，摄职从政。
存以甘棠，去而益咏。
笃初诚美，慎终宜令。
荣业所基，籍甚无竟。
学优登仕，摄职从政。
存以甘棠，去而益咏。

译文

做事情有个好的开始固然很好，但更重要的是善始善终。德行是荣耀光辉的事业的基础，只有根基强大坚实，今后的发展才会扶摇直上、前途无量。学习优秀的人，才有机会走上仕途，担任职务，参与国政。西周初年的召公，曾经在甘棠树下处理政务，深受百姓爱戴，因此他过世后，人们为了纪念他，将那棵树一直保留下来，并且赞颂他的美德。

难字练习

慎 慎　籍 籍
摄 摄　棠 棠

自由书写

全篇练习

天地玄黄，宇宙洪荒。
日月盈昃，辰宿列张。
寒来暑往，秋收冬藏。
闰余成岁，律吕调阳。
云腾致雨，露结为霜。
金生丽水，玉出昆冈。
剑号巨阙，珠称夜光。
果珍李柰，菜重芥姜。
海咸河淡，鳞潜羽翔。
龙师火帝，鸟官人皇。
始制文字，乃服衣裳。

书法课堂

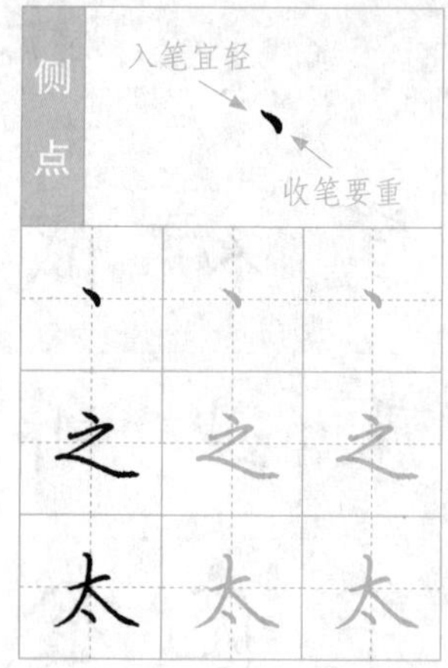

左点
入笔宜轻
收笔要重

丿	丿	丿
写	写	写
军	军	军

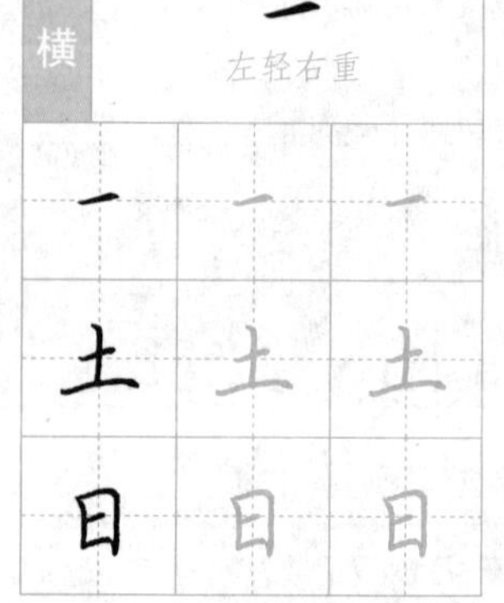

小知识

宇宙的起源

据科学家推测，大约在150亿年前，物质和能量聚集成一个体积很小的点，这个点的温度极高，密度极大，后来发生了大爆炸，由此释放的物质向四面八方扩散，并且相互吸收、融合，形成星系、恒星和行星。这就是宇宙的起源。

yuè shū guì jiàn　lǐ bié zūn bēi　shàng hé xià mù　fū chàng fù suí
乐殊贵贱，礼别尊卑。上和下睦，夫唱妇随。
wài shòu fù xùn　rù fèng mǔ yí　zhū gū bó shū　yóu zǐ bǐ ér
外受傅训，入奉母仪。诸姑伯叔，犹子比儿。

乐殊贵贱，礼别尊卑。
上和下睦，夫唱妇随。
外受傅训，入奉母仪。
诸姑伯叔，犹子比儿。
乐殊贵贱，礼别尊卑。
上和下睦，夫唱妇随。
外受傅训，入奉母仪。
诸姑伯叔，犹子比儿。

译文

人因贵贱不同的身份，所使用的音乐也要有所区别，礼节要区别出地位的长幼卑尊。上下级之间要和睦相处，丈夫倡导的，妻子要附和跟从。出门在外应该要接受师长的训诲，在家中要认真遵从父母的教导。对待姑母、伯伯和叔父等长辈，要像他们的亲生子女一样体贴入微。

难字练习

殊 殊　尊 尊
睦 睦　傅 傅

自由书写

jǔ bù yǐn lǐng fǔ yǎng láng miào shù dài jīn zhuāng pái huái zhān tiào
矩步引领，俯仰廊庙。束带矜庄，徘徊瞻眺。
gū lòu guǎ wén yú méng děng qiào wèi yǔ zhù zhě yān zāi hū yě
孤陋寡闻，愚蒙等诮。谓语助者，焉哉乎也。

我端正步伐，昂首前行，上朝时恭敬景仰。穿戴整齐，态度端正，徘徊不安，敬献此章。我认为自己才疏学浅，鲜有见识，愚笨蒙昧，让人耻笑。学识不过“焉”、“哉”、“乎”、“也”几个语气助词罢了。

难字练习

廊 廊 矜 矜
诮 诮 焉 焉

自由书写

kǒng huái xiōng dì　tóng qì lián zhī　jiāo yǒu tóu fèn　qiē mó zhēn guī
孔怀兄弟，同气连枝。交友投分，切磨箴规。
rén cí yǐn cè　zào cì fú lí　jié yì lián tuì　diān pèi fěi kuī
仁慈隐恻，造次弗离。节义廉退，颠沛匪亏。

孔怀兄弟，同气连枝。
交友投分，切磨箴规。
仁慈隐恻，造次弗离。
节义廉退，颠沛匪亏。
孔怀兄弟，同气连枝。
交友投分，切磨箴规。
仁慈隐恻，造次弗离。
节义廉退，颠沛匪亏。

要经常关怀自己的兄弟，因为彼此血脉相通，就像树一样连枝同根。结交朋友的时候要选择志同道合的人，这样才能在学习上互相切磋，在品行上互相劝勉。做人要富有仁爱怜悯之心，不能轻易丢弃对别人的同情。即使在颠沛流离、穷困潦倒的时候，气节、仁义、清廉、谦让这些高尚的情操，也不能有丝毫的缺损。

难字练习

箴 箴　恻 恻
廉 廉　匪 匪

自由书写

shì fēn lì sú　bìng jiē jiā miào　máo shī shū zī　gōng pín yán xiào　nián shǐ měi cuī

释纷利俗，并皆佳妙。毛施淑姿，工颦妍笑。年矢每催，

xī huī lǎng yào　xuán jī xuán wò　huì pò huán zhào　zhǐ xīn xiū hù　yǒng suí jí shào

曦晖朗曜。璇玑悬斡，晦魄环照。指薪修祜，永绥吉劭。

释纷利俗，并皆佳妙。
毛施淑姿，工颦妍笑。
年矢每催，曦晖朗曜。
璇玑悬斡，晦魄环照。
指薪修祜，永绥吉劭。

释纷利俗，并皆佳妙。
毛施淑姿，工颦妍笑。
年矢每催，曦晖朗曜。
璇玑悬斡，晦魄环照。
指薪修祜，永绥吉劭。

译文

他们或是善于调解纠纷，或是善于发明创造，因而能造福社会为后人称道。毛嫱和西施都有着美丽的姿容，即使皱眉都显得格外俏丽，更何况那动人的一笑。时光飞逝，催人向老，太阳的光辉普照大地。北斗七星随着四季变换运转不停，皎洁的月光洒遍人间的每个角落。修德积福，子孙传续，永远平安，吉祥美好。

难字练习

颦 颦

曦 曦

xìng jìng qíng yì　xīn dòng shén pí　shǒu zhēn zhì mǎn
性静情逸，心动神疲。守真志满，

zhú wù yì yí　jiān chí yǎ cāo　hǎo jué zì mí
逐物意移。坚持雅操，好爵自縻。

性静情逸，心动神疲。
守真志满，逐物意移。
坚持雅操，好爵自縻。
性静情逸，心动神疲。
守真志满，逐物意移。
坚持雅操，好爵自縻。

译文

人要有平和的性格和安逸稳定的情绪，如果内心常为外物所动，精神就会感到疲惫。要保持自己真善美的自然本性，知足就会获得满足感，如果一心追求物质上的享受，人格和意志就会衰退。如果始终保持高雅的情操，就不会被爵禄所累。

难字练习

逸 逸　疲 疲
满 满　逐 逐
雅 雅　操 操
爵 爵　縻 縻

自由书写

lú luó dú tè　hài yuè chāo xiāng　zhū zhǎn zéi dào　bǔ huò pàn wáng
驴骡犊特，骇跃超骧。诛斩贼盗，捕获叛亡。
bù shè liáo wán　jī qín ruǎn xiào　tián bǐ lún zhǐ　jūn qiǎo rén diào
布射僚丸，嵇琴阮啸。恬笔伦纸，钧巧任钓。

驴骡犊特，骇跃超骧。
诛斩贼盗，捕获叛亡。
布射僚丸，嵇琴阮啸。
恬笔伦纸，钧巧任钓。

驴骡犊特，骇跃超骧。
诛斩贼盗，捕获叛亡。
布射僚丸，嵇琴阮啸。
恬笔伦纸，钧巧任钓。

译文

毛驴、骡子和牛等家畜，受惊奔跑时能超越马的速度。要严厉惩罚小偷和强盗，捕获反叛的亡命之徒。吕布善于射箭，熊宜僚善玩弹丸，嵇康善于弹琴，阮籍善于呐喊。蒙恬制造了毛笔，蔡伦发明了造纸术，马钧心灵手巧，是一代巧匠，任公子善于垂钓。

难字练习

骧 骧

僚 僚

嵇 嵇

啸 啸

自由书写

dū yì huá xià dōng xī èr jīng bèi máng miàn luò fú wèi jù jīng
都邑华夏，东西二京。背邙面洛，浮渭据泾。
gōng diàn pán yù lóu guàn fēi jīng tú xiě qín shòu huà cǎi xiān líng
宫殿盘郁，楼观飞惊。图写禽兽，画彩仙灵。

都邑华夏，东西二京。
背邙面洛，浮渭据泾。
宫殿盘郁，楼观飞惊。
图写禽兽，画彩仙灵。
都邑华夏，东西二京。
背邙面洛，浮渭据泾。
宫殿盘郁，楼观飞惊。
图写禽兽，画彩仙灵。

译文

我国古代的都城，以东京洛阳和西京长安最为有名。洛阳背靠邙山，南临洛水，长安北临渭水，泾水汇入其中。都城里的宫殿回环曲折，错落重叠，楼台宫阙凌空欲飞，令人惊叹。宫殿内外画满飞禽走兽，还有用各种色彩画的天仙和神灵绚丽夺目。

难字练习

邑 邑
渭 渭
邙 邙
泾 泾

自由书写

dí hòu sì xù jì sì zhēngcháng qǐ sǎng zài bài sǒng jù kǒng huáng
嫡后嗣续，祭祀烝尝。稽颡再拜，悚惧恐惶。
jiān dié jiǎn yào gù dá shěn xiáng hái gòu xiǎng yù zhí rè yuàn liáng
笺牒简要，顾答审详。骸垢想浴，执热愿凉。

嫡后嗣续，祭祀烝尝。
稽颡再拜，悚惧恐惶。
笺牒简要，顾答审详。
骸垢想浴，执热愿凉。

嫡后嗣续，祭祀烝尝。
稽颡再拜，悚惧恐惶。
笺牒简要，顾答审详。
骸垢想浴，执热愿凉。

译文

子孙一代代传续，祭祀时请求祖先多多庇佑。磕头下跪时要按照规矩非常虔诚，诚惶诚恐惟恐有失礼仪。书信文章要写得简明扼要，回答问题时要审慎周详。身体脏了要洗澡，酷暑难耐希望早点清凉。

难字练习

烝 烝
颡 颡
稽 稽
笺 笺

自由书写

bǐng shè páng qǐ　jiǎ zhàng duì yíng　sì yán shè xí
丙舍傍启，甲帐对楹。肆筵设席，

gǔ sè chuī shēng　shēng jiē nà bì　biàn zhuǎn yí xīng
鼓瑟吹笙。升阶纳陛，弁转疑星。

丙舍傍启，甲帐对楹。
肆筵设席，鼓瑟吹笙。
升阶纳陛，弁转疑星。
丙舍傍启，甲帐对楹。
肆筵设席，鼓瑟吹笙。
升阶纳陛，弁转疑星。

译文

正殿两旁的配殿在侧面开门，豪华的帐幕对着高高的楹柱。宫殿里摆设着丰盛的宴席，弹琴吹笙，一片歌舞升平的景象。文武百官上下台阶互相祝酒，官帽上的珠子转动着，乍一看像是满天的星斗。

难字练习

帐 帐　楹 楹
肆 肆　筵 筵
瑟 瑟　笙 笙
陛 陛　疑 疑

自由书写

wán shàn yuán jié　yín zhú wěi huáng　zhòu mián xī mèi　lán sǔn xiàng chuáng
纨扇圆絜，银烛炜煌。昼眠夕寐，蓝笋象床。
xián gē jiǔ yàn　jiē bēi jǔ shāng　jiǎo shǒu dùn zú　yuè yù qiě kāng
弦歌酒宴，接杯举觞。矫手顿足，悦豫且康。

纨扇圆絜，银烛炜煌。
昼眠夕寐，蓝笋象床。
弦歌酒宴，接杯举觞。
矫手顿足，悦豫且康。
纨扇圆絜，银烛炜煌。
昼眠夕寐，蓝笋象床。
弦歌酒宴，接杯举觞。
矫手顿足，悦豫且康。

译文

绢制的圆扇如满月一般洁白素雅，银色的蜡烛将室内照得明亮辉煌。白天休憩，夜晚长睡，用的是青蓝的竹席和象牙雕饰的床榻。伴随歌舞，盛大酒宴，人们传杯接盏，开怀畅饮，情不自禁地随着旋律手舞足蹈，愉悦欢欣互相祝酒道安康。

难字练习

纨 纨　絜 絜
炜 炜　觞 觞

自由书写

yòu tōng guǎng nèi zuǒ dá chéng míng jì jí fén diǎn
右通广内，左达承明。既集坟典，
yì jù qún yīng dù gǎo zhōng lì qī shū bì jīng
亦聚群英。杜稿钟隶，漆书壁经。

《译文》

朝右转可通往用以藏书的广内殿，向左行则到达朝臣休息的承明殿。广内殿收藏了很多古籍经典，承明殿内汇聚了文武群英。皇宫里珍藏着杜度草书的手稿和钟繇隶书的真迹，更有漆简《尚书》和《论语》古经。

《难字练习》

通 通　承 承
既 既　集 集
聚 聚　隶 隶
漆 漆　壁 壁

《自由书写》

jù shàn cān fàn　shì kǒu chōng cháng　bǎo yù pēng zǎi　jī yàn zāo kāng
具膳餐饭，适口充肠。饱饫烹宰，饥厌糟糠。
qīn qi gù jiù　lǎo shào yì liáng　qiè yù jì fǎng　shì jīn wéi fáng
亲戚故旧，老少异粮。妾御绩纺，侍巾帷房。

具膳餐饭，适口充肠。
饱饫烹宰，饥厌糟糠。
亲戚故旧，老少异粮。
妾御绩纺，侍巾帷房。
具膳餐饭，适口充肠。
饱饫烹宰，饥厌糟糠。
亲戚故旧，老少异粮。
妾御绩纺，侍巾帷房。

译文

一日三餐只要口味适合，能填饱肚子，不要过于奢侈浪费。吃饱的时候，即便是看见大鱼大肉也不会想吃，感觉饥饿的时候，粗茶淡饭也觉得可口。假如亲戚朋友登门拜访，要注意长幼有别，根据他们的饮食习惯安排不同的食物。妻子要管理好家务，做好纺纱织布、服侍丈夫之类的事情。

难字练习

膳 膳　糟 糟
糠 糠　御 御

自由书写

fǔ luó jiàng xiàng　lù jiā huái qīng　hù fēng bā xiàn　jiā jǐ qiān bīng　gāo guān péi niǎn
府罗将相，路侠槐卿。户封八县，家给千兵。高冠陪辇，

qū gǔ zhèn yīng　shì lù chǐ fù　chē jià féi qīng　cè gōng mào shí　lè bēi kè míng
驱毂振缨。世禄侈富，车驾肥轻。策功茂实，勒碑刻铭。

府罗将相，路侠槐卿。
户封八县，家给千兵。
高冠陪辇，驱毂振缨。
世禄侈富，车驾肥轻。
策功茂实，勒碑刻铭。

府罗将相，路侠槐卿。
户封八县，家给千兵。
高冠陪辇，驱毂振缨。
世禄侈富，车驾肥轻。
策功茂实，勒碑刻铭。

译文

两京城内将相府第星罗棋布，三公九卿夹道高宅尽显奢华之风。文臣武将户户享有八县以上的封地，家家配备着上千名的侍卫。将相们都带着高高的官帽，陪伴着皇帝出游，车马向前行进，彩饰随风飘舞。他们的子孙世世代代都享受着优厚的爵禄，过着奢豪的生活，驾华车，骑肥马，身着裘皮大衣。朝廷还要将功劳记在简册上，以勉慰他们的勋业，还要立碑刻铭，来彰显卓著的功绩。

难字练习

毂 毂　　缨 缨

chén gēn wěi yì luò yè piāo yáo yóu kūn dú yùn líng mó jiàng xiāo
陈根委翳，落叶飘摇。游鹍独运，凌摩绛霄。
dān dú wán shì yù mù náng xiāng yì yóu yōu wèi zhǔ ěr yuán qiáng
耽读玩市，寓目囊箱。易輶攸畏，属耳垣墙。

陈根委翳，落叶飘摇。
游鹍独运，凌摩绛霄。
耽读玩市，寓目囊箱。
易輶攸畏，属耳垣墙。
陈根委翳，落叶飘摇。
游鹍独运，凌摩绛霄。
耽读玩市，寓目囊箱。
易輶攸畏，属耳垣墙。

译文

老树枯萎，树根腐烂，落叶在风中四处飘荡。远游的鹍鹏在独自翱翔，展翅凌空直冲云霄。汉代的王充在闹市上依然能够潜心读书，满眼见到的都是书袋和书箱。发表言论最怕的就是轻易随便，说话时要谨慎小心，要防止隔墙有耳。

难字练习

翳 翳 鹍 鹍
囊 囊 輶 輶

自由书写

pán xī yī yǐn　zuǒ shí ē héng　yān zhái qū fù　wēi dàn shú yíng　huán gōng kuāng hé
磻溪伊尹，佐时阿衡。奄宅曲阜，微旦孰营？桓公匡合，
jì ruò fú qīng　qǐ huí hàn huì　yuè gǎn wǔ dīng　jùn yì mì wù　duō shì shí níng
济弱扶倾。绮回汉惠，说感武丁。俊乂密勿，多士寔宁。

磻溪伊尹，佐时阿衡。
奄宅曲阜，微旦孰营？
桓公匡合，济弱扶倾。
绮回汉惠，说感武丁。
俊乂密勿，多士寔宁。

磻溪伊尹，佐时阿衡。
奄宅曲阜，微旦孰营？
桓公匡合，济弱扶倾。
绮回汉惠，说感武丁。
俊乂密勿，多士寔宁。

译文

伊尹和吕尚，是辅佐君王的一代名相。鲁都曲阜建立在古奄国的土地上，除了周公旦，谁能将鲁国治理得那么好呢？齐桓公会盟诸侯，匡正天下，扶助弱国，拯救危亡。汉惠帝依靠绮里季挽回了太子位，免于被废黜，商君武丁因梦中感应，任命傅说为宰相振兴了商朝。贤德之人，勤勉努力，人才济济，正是因为这些，才换来了天下平安、社稷安定。

难字练习

磻 磻　　寔 寔

qiú gǔ xún lùn sàn lǜ xiāo yáo xīn zòu lèi qiǎn qī xiè huān zhāo
求古寻论，散虑逍遥。欣奏累遣，戚谢欢招。
qú hé dì lì yuán mǎng chōu tiáo pí pa wǎn cuì wú tóng zǎo diāo
渠荷的历，园莽抽条。枇杷晚翠，梧桐蚤凋。

求古寻论，散虑逍遥。
欣奏累遣，戚谢欢招。
渠荷的历，园莽抽条。
枇杷晚翠，梧桐蚤凋。
求古寻论，散虑逍遥。
欣奏累遣，戚谢欢招。
渠荷的历，园莽抽条。
枇杷晚翠，梧桐蚤凋。

译文

研读古代圣贤的书籍，体味其中的人生哲理，以此排除忧虑杂念，活得自在逍遥。喜悦的事情如果增添，烦累自然就得到了排遣，忧愁一旦离去，欢乐也就会出现。夏天池塘中的荷花艳丽妖娆，春天园林草木抽出嫩绿的枝条。冬日里的枇杷树仍然青绿苍翠，而一到秋天，梧桐树的叶子便开始凋零。

难字练习

遣 遣　莽 莽
枇 枇　蚤 蚤

自由书写

jìn chǔ gēng bà　zhào wèi kùn héng　jiǎ tú miè guó
晋楚更霸，赵魏困横。假途灭虢，
jiàn tǔ huì méng　hé zūn yuē fǎ　hán bì fán xíng
践土会盟。何遵约法，韩弊烦刑。

晋楚更霸，赵魏困横。
假途灭虢，践土会盟。
何遵约法，韩弊烦刑。

晋楚更霸，赵魏困横。
假途灭虢，践土会盟。
何遵约法，韩弊烦刑。

译文

晋文公、楚庄王先后称霸，赵国、魏国因为张仪提出的“连横”政策而受困于秦。晋献公借道虞国消灭了虢国，晋文公在践土召集诸侯订立盟约。萧何遵奉律法从简制订《九章律》，韩非子最终惨死在他自己所主张的苛刑之下。

难字练习

霸 霸　魏 魏
虢 虢　盟 盟
遵 遵　弊 弊
烦 烦　刑 刑

自由书写

xǐng gōng jī jiè　chǒng zēng kàng jí　dài rǔ jìn chǐ　lín gāo xìng jí
省躬讥诫，宠增抗极。殆辱近耻，林皋幸即。
liǎng shū jiàn jī　jiě zǔ shuí bī　suǒ jū xián chǔ　chén mò jì liáo
两疏见机，解组谁逼。索居闲处，沉默寂寥。

省躬讥诫，宠增抗极。
殆辱近耻，林皋幸即。
两疏见机，解组谁逼。
索居闲处，沉默寂寥。

省躬讥诫，宠增抗极。
殆辱近耻，林皋幸即。
两疏见机，解组谁逼。
索居闲处，沉默寂寥。

译文

对别人的讥讽劝诫要躬身自省，要时时防止增加过度的荣宠。得意忘形时往往就临近了耻辱，幸好有林泉山野可以及时地归隐。汉代的疏广、疏受预见到危难的苗头，便主动辞官归隐，有谁逼迫他们这样做呢？一个人离群独居，悠闲清静，不论是非，安于寂寞。

难字练习

躬 躬　皋 皋
疏 疏　寥 寥

自由书写

qǐ jiǎn pō mù yòng jūn zuì jīng xuān wēi shā mò chí yù dān qīng
起翦颇牧，用军最精。宣威沙漠，驰誉丹青。
jiǔ zhōu yǔ jì bǎi jùn qín bìng yuè zōng tài dài shàn zhǔ yún tíng
九州禹迹，百郡秦并。岳宗泰岱，禅主云亭。

起翦颇牧，用军最精。
宣威沙漠，驰誉丹青。
九州禹迹，百郡秦并。
岳宗泰岱，禅主云亭。
起翦颇牧，用军最精。
宣威沙漠，驰誉丹青。
九州禹迹，百郡秦并。
岳宗泰岱，禅主云亭。

译文

战国名将白起、王翦、廉颇和李牧，他们个个善于用兵，精通作战。西汉大将卫青、李广还有霍去病，屡屡击败匈奴，威名远震大漠，他们的美名永远流传在千古史册之中。九州大地处处留下了大禹治水的足迹，秦灭六国统一天下之后推行郡县制。五岳中以泰山为尊，古代君王曾在云云山和亭亭山主持封禅之礼。

难字练习

翦 翦 郡 郡
岱 岱 禅 禅

自由书写

mèng kē dūn sù shǐ yú bǐng zhí shù jī zhōng yōng láo qiān jǐn chì
孟轲敦素，史鱼秉直。庶几中庸，劳谦谨敕。
líng yīn chá lǐ jiàn mào biàn sè yí jué jiā yóu miǎn qí zhī zhí
聆音察理，鉴貌辨色。贻厥嘉猷，勉其祗植。

孟轲敦素，史鱼秉直。
庶几中庸，劳谦谨敕。
聆音察理，鉴貌辨色。
贻厥嘉猷，勉其祗植。

孟轲敦素，史鱼秉直。
庶几中庸，劳谦谨敕。
聆音察理，鉴貌辨色。
贻厥嘉猷，勉其祗植。

译文

孟子崇尚安于素常之位，史鱼则坚持正义敢言。做人要符合中庸之道，恪守勤劳、谦恭、严谨的原则。倾听别人的谈话要体会别人话中的道理，与人交往需通过察言观色来了解他内心的想法。留赠给人的应当是良谋忠告，勉励他们处世立身要谨慎小心。

难字练习

厥 厥　嘉 嘉
猷 猷　祗 祗

自由书写

yàn mén zǐ sài　jī tián chì chéng　kūn chí jié shí
雁门紫塞，鸡田赤城。昆池碣石，
jù yě dòng tíng　kuàng yuǎn mián miǎo　yán xiù yǎo míng
巨野洞庭。旷远绵邈，岩岫杳冥。

雁门紫塞，鸡田赤城。
昆池碣石，巨野洞庭。
旷远绵邈，岩岫杳冥。
雁门紫塞，鸡田赤城。
昆池碣石，巨野洞庭。
旷远绵邈，岩岫杳冥。

译文

雁门关雄伟险要，万里长城尤为壮观，西北塞外有险要的关塞鸡泽，浙江天台上有奇峰赤城。昆明的滇池风景秀美，河北的碣石山是观海的圣地，山东的巨野是著名的湖泽，湖南的洞庭湖水面辽阔，气象万千。中国幅员辽阔，连绵遥远，高峰峭立，岩穴幽深，山河壮丽，历久永存。

难字练习

雁 雁　塞 塞
碣 碣　庭 庭
绵 绵　邈 邈
岫 岫　杳 杳

自由书写

zhì běn yú nóng wù zī jià sè chù zǎi nán mǔ
治本于农，务兹稼穑。俶载南亩，
wǒ yì shǔ jì shuì shú gòng xīn quàn shǎng chù zhì
我艺黍稷。税熟贡新，劝赏黜陟。

治	本	于	农，	务	兹	稼	穑。
俶	载	南	亩，	我	艺	黍	稷。
税	熟	贡	新，	劝	赏	黜	陟。
治	本	于	农，	务	兹	稼	穑。
俶	载	南	亩，	我	艺	黍	稷。
税	熟	贡	新，	劝	赏	黜	陟。

发展农业是治国的根本，要致力于播种与收获的工作。春季开始要去田里干活，农民在肥沃的土地上种植五谷。到了收获的季节，农民用新谷缴纳田税，进贡新粮表达忠诚，根据纳税的情况赏罚要分明。

难字练习

兹	兹				稼	稼			
穑	穑				俶	俶			
黍	黍				稷	稷			
黜	黜				陟	陟			

自由书写